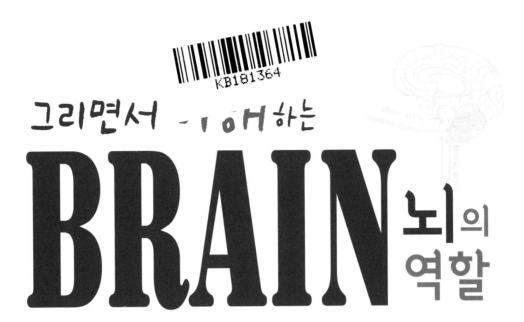

그리면서 이해하는
BRAIN 뇌의 역할

Donald M. Silver and Patricia J. Wynne

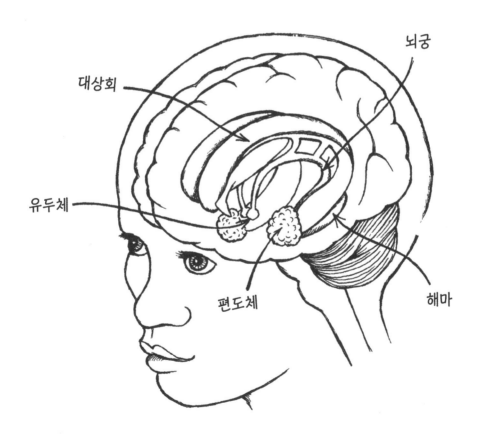

뇌궁

대상회

유두체

편도체

해마

군자출판사

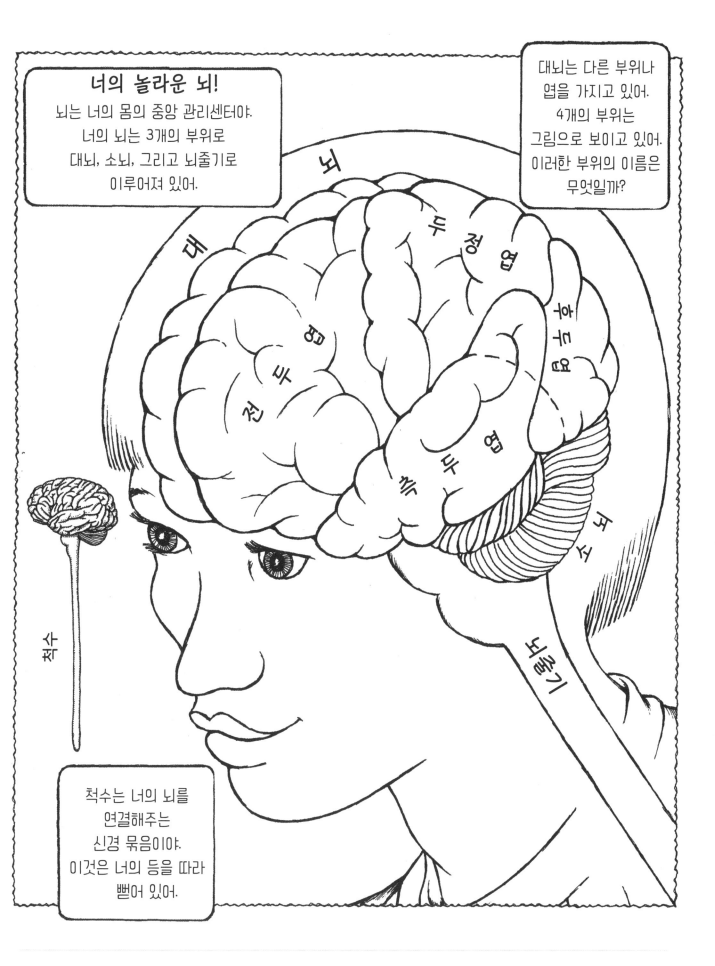

너의 놀라운 뇌!
뇌는 너의 몸의 중앙 관리센터야.
너의 뇌는 3개의 부위로
대뇌, 소뇌, 그리고 뇌줄기로
이루어져 있어.

대뇌는 다른 부위나
엽을 가지고 있어.
4개의 부위는
그림으로 보이고 있어.
이러한 부위의 이름은
무엇일까?

척수는 너의 뇌를
연결해주는
신경 묶음이야.
이것은 너의 등을 따라
뻗어 있어.

1

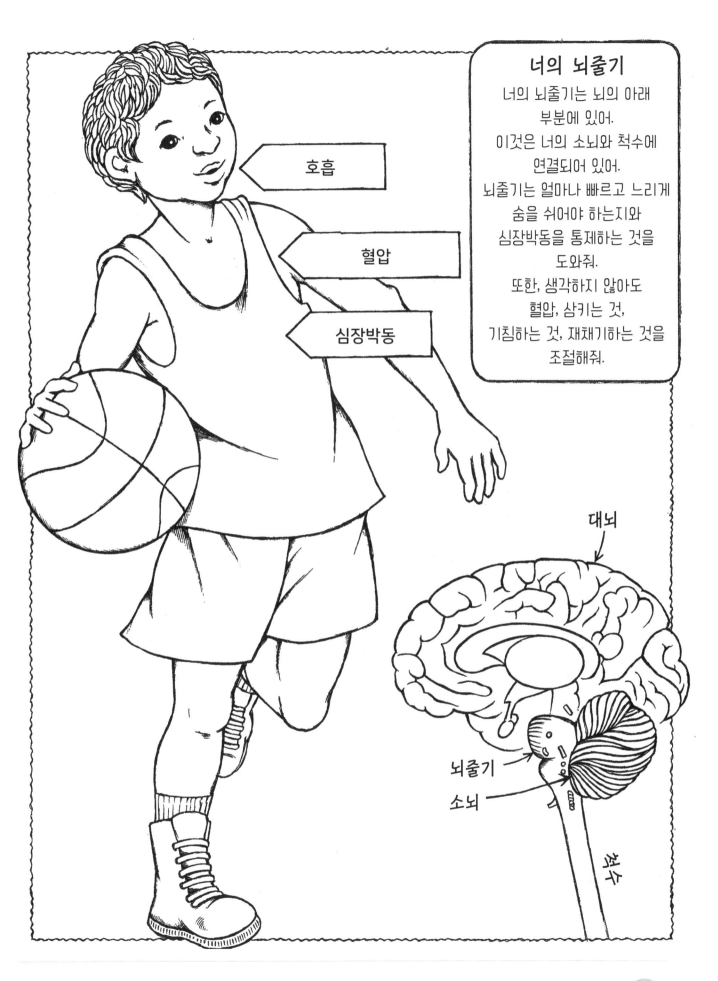

호흡

혈압

심장박동

너의 뇌줄기

너의 뇌줄기는 뇌의 아래
부분에 있어.
이것은 너의 소뇌와 척수에
연결되어 있어.
뇌줄기는 얼마나 빠르고 느리게
숨을 쉬어야 하는지와
심장박동을 통제하는 것을
도와줘.
또한, 생각하지 않아도
혈압, 삼키는 것,
기침하는 것, 재채기하는 것을
조절해줘.

대뇌

뇌줄기

소뇌

척수

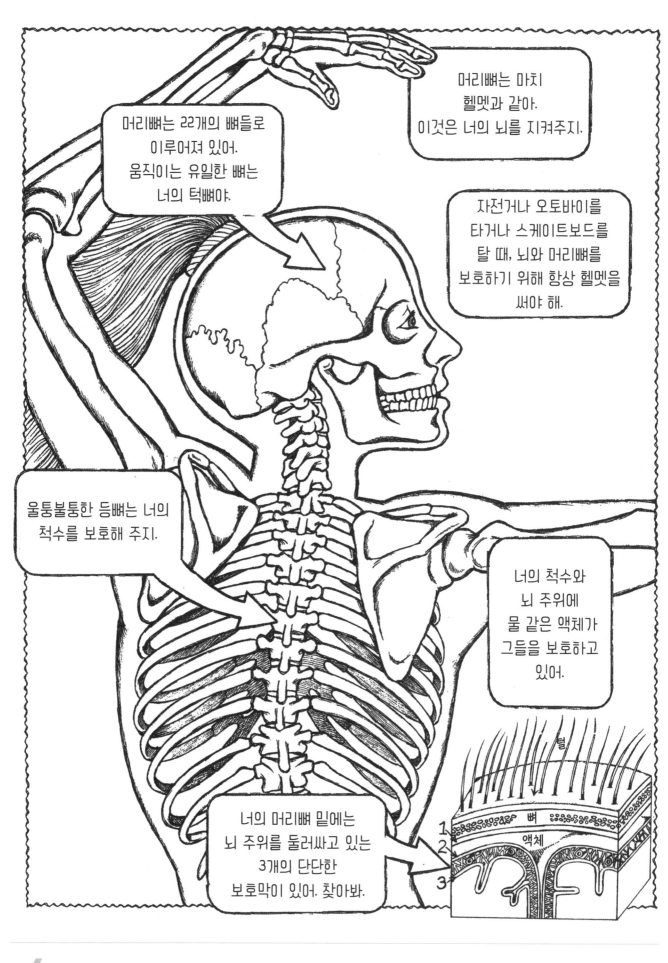

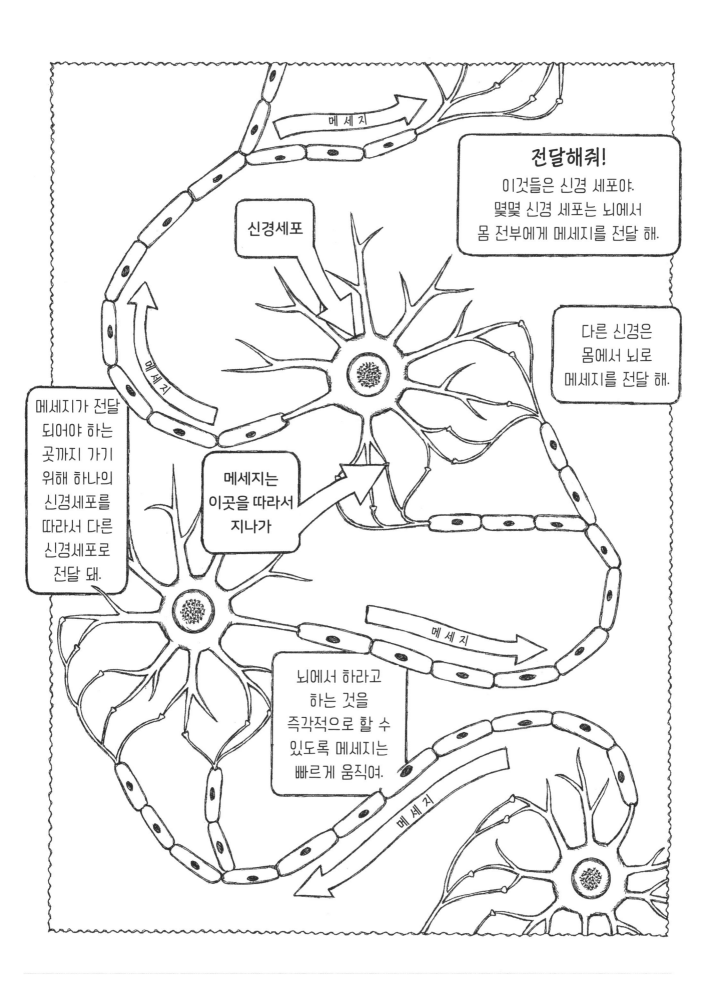

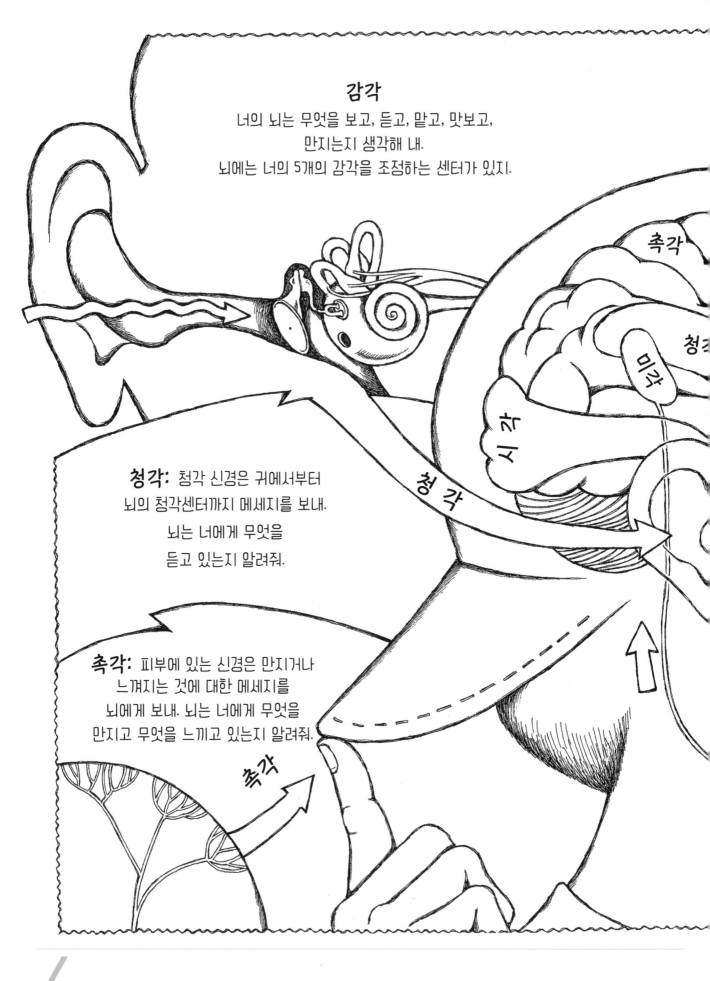

감각

너의 뇌는 무엇을 보고, 듣고, 맡고, 맛보고,
만지는지 생각해 내.
뇌에는 너의 5개의 감각을 조정하는 센터가 있지.

청각: 청각 신경은 귀에서부터
뇌의 청각센터까지 메세지를 보내.
뇌는 너에게 무엇을
듣고 있는지 알려줘.

촉각: 피부에 있는 신경은 만지거나
느껴지는 것에 대한 메세지를
뇌에게 보내. 뇌는 너에게 무엇을
만지고 무엇을 느끼고 있는지 알려줘.

촉각

청각

촉각

청각

미각

시각

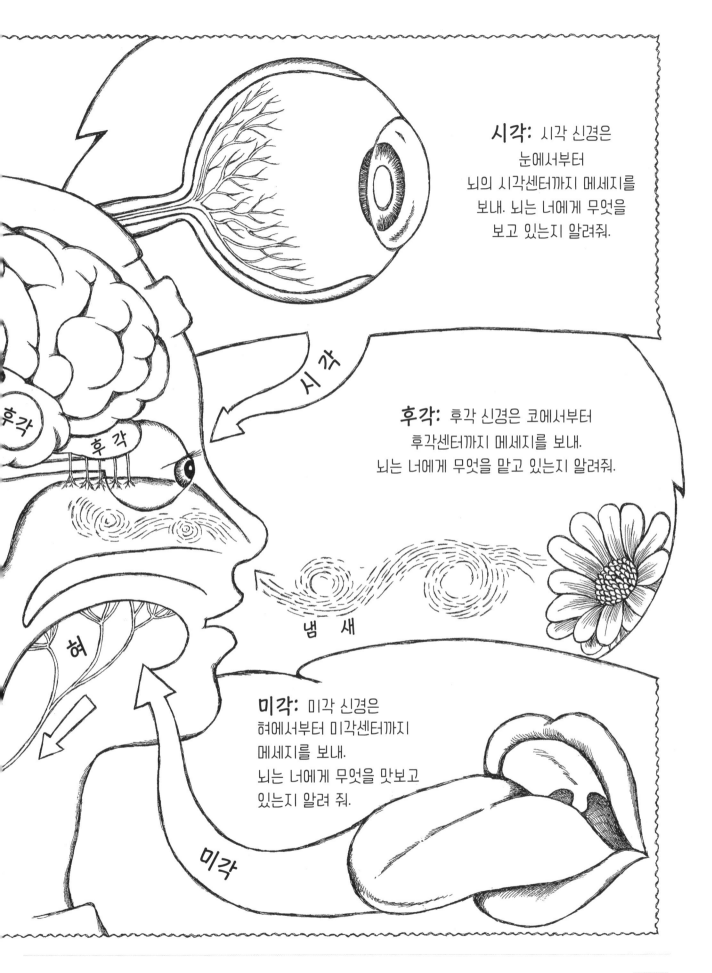

시각: 시각 신경은
눈에서부터
뇌의 시각센터까지 메세지를
보내. 뇌는 너에게 무엇을
보고 있는지 알려줘.

후각: 후각 신경은 코에서부터
후각센터까지 메세지를 보내.
뇌는 너에게 무엇을 맡고 있는지 알려줘.

미각: 미각 신경은
혀에서부터 미각센터까지
메세지를 보내.
뇌는 너에게 무엇을 맛보고
있는지 알려 줘.

시 각

후 각

후각

냄 새

혀

미각

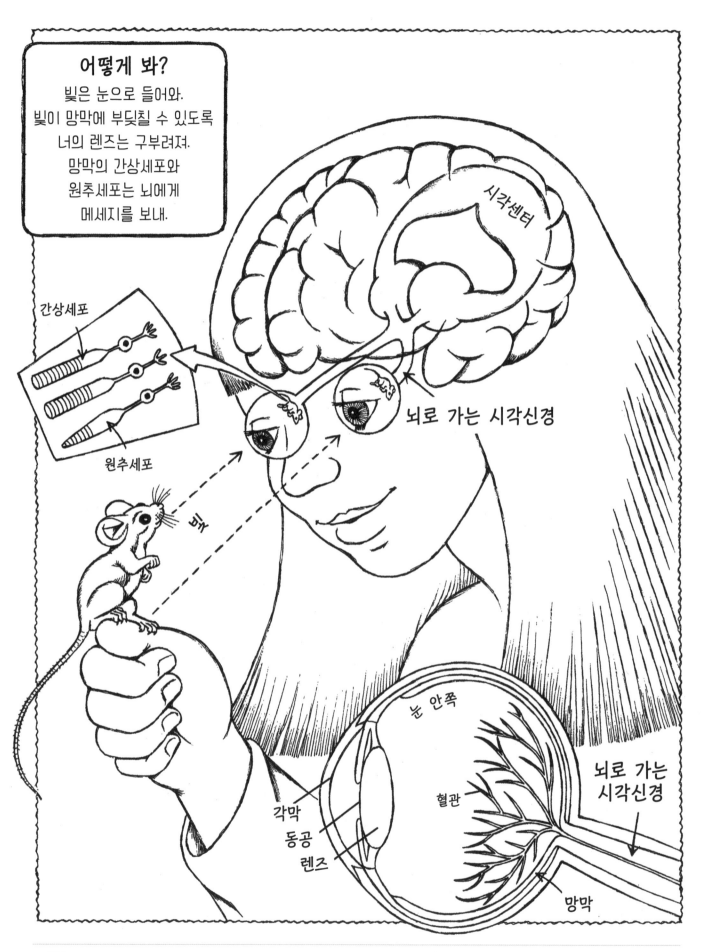

어떻게 봐?
빛은 눈으로 들어와.
빛이 망막에 부딪칠 수 있도록
너의 렌즈는 구부려져.
망막의 간상세포와
원추세포는 뇌에게
메세지를 보내.

시각센터

간상세포

원추세포

뇌로 가는 시각신경

빛

눈 안쪽

혈관

뇌로 가는
시각신경

각막
동공
렌즈

망막

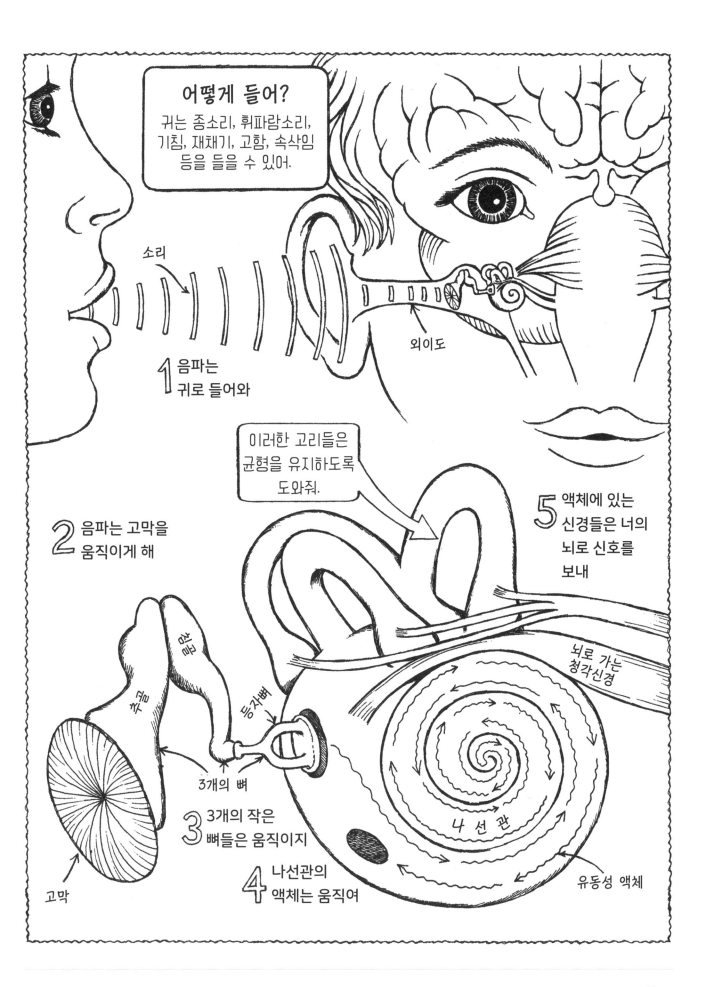

어떻게 들어?
귀는 종소리, 휘파람소리,
기침, 재채기, 고함, 속삭임
등을 들을 수 있어.

소리

외이도

1 음파는
귀로 들어와

이러한 고리들은
균형을 유지하도록
도와줘.

5 액체에 있는
신경들은 너의
뇌로 신호를
보내

2 음파는 고막을
움직이게 해

뇌로 가는
청각신경

모루뼈

망치뼈

등자뼈

3개의 뼈

3 3개의 작은
뼈들은 움직이지

나 선 관

4 나선관의
액체는 움직여

고막

유동성 액체

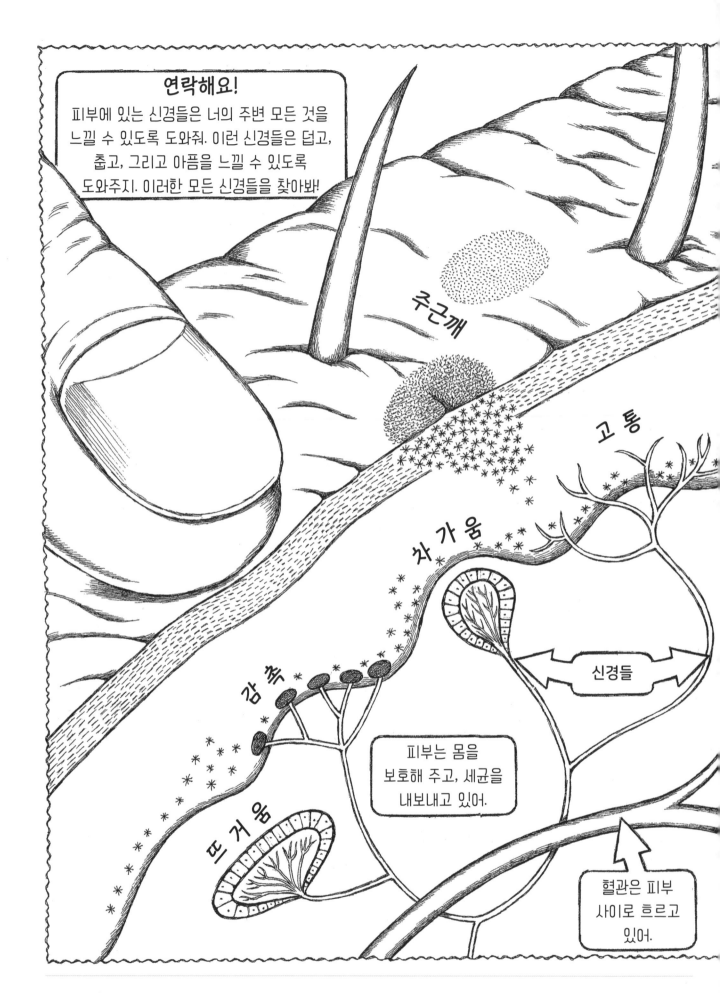

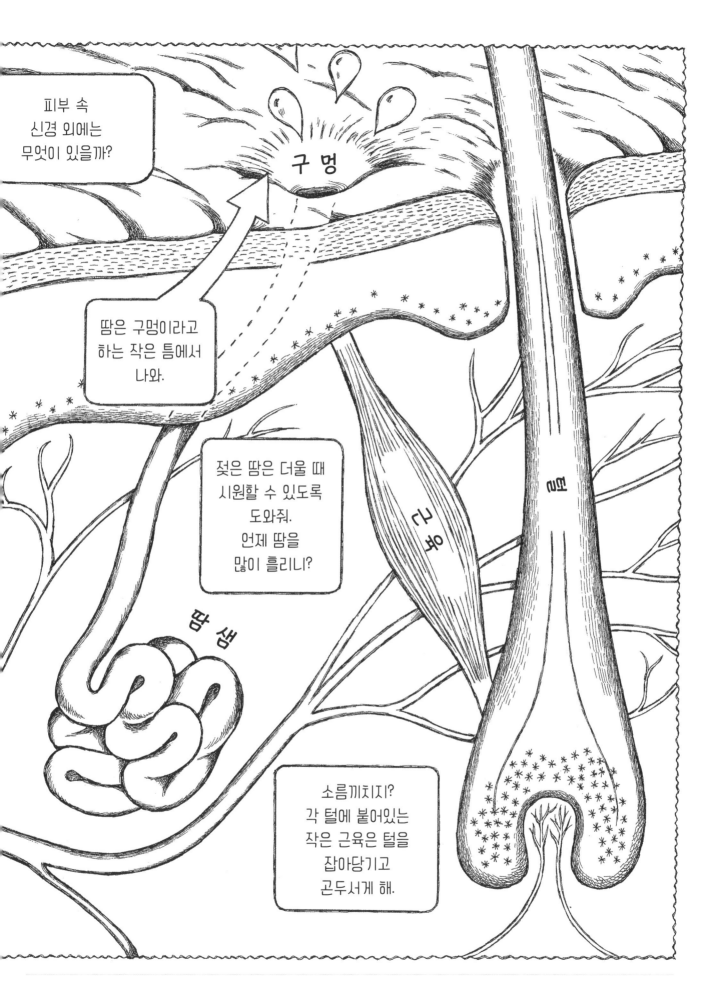

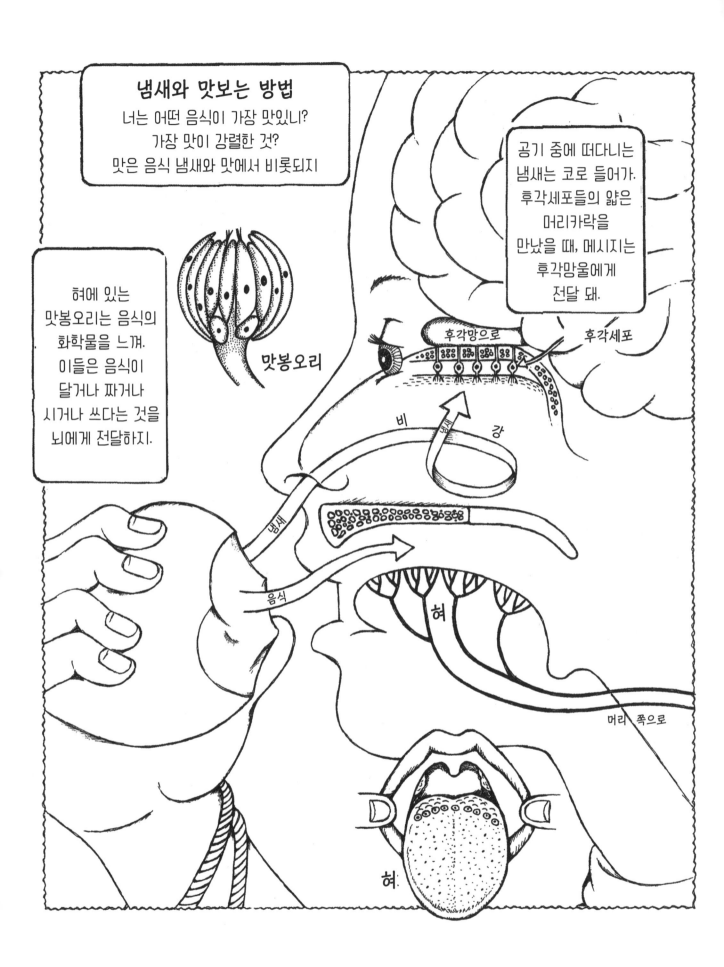

냄새와 맛보는 방법
너는 어떤 음식이 가장 맛있니?
가장 맛이 강렬한 것?
맛은 음식 냄새와 맛에서 비롯되지

공기 중에 떠다니는 냄새는 코로 들어가. 후각세포들의 얇은 머리카락을 만났을 때, 메시지는 후각망울에게 전달 돼.

혀에 있는 맛봉오리는 음식의 화학물을 느껴. 이들은 음식이 달거나 짜거나 시거나 쓰다는 것을 뇌에게 전달하지.

맛봉오리

후각망으로

후각세포

비

강

냄새

음식

혀

머리 쪽으로

혀

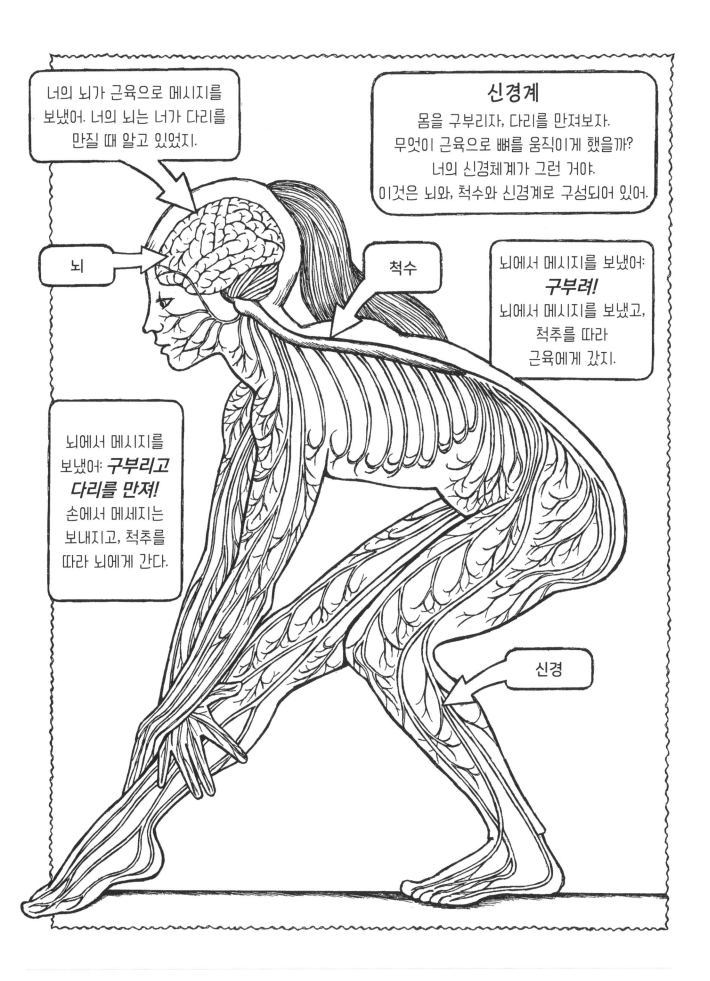

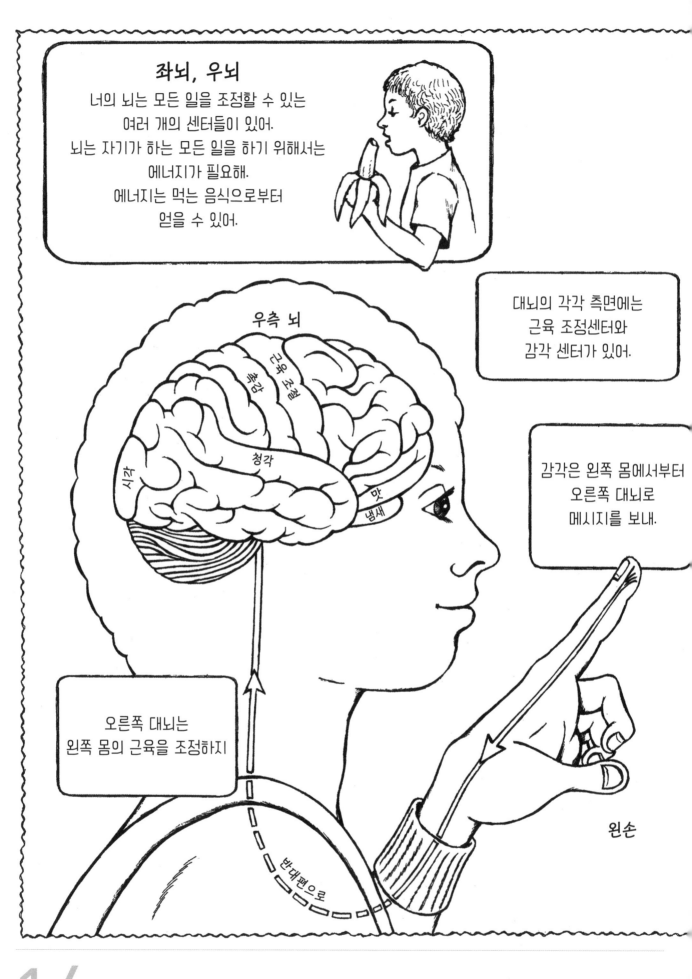

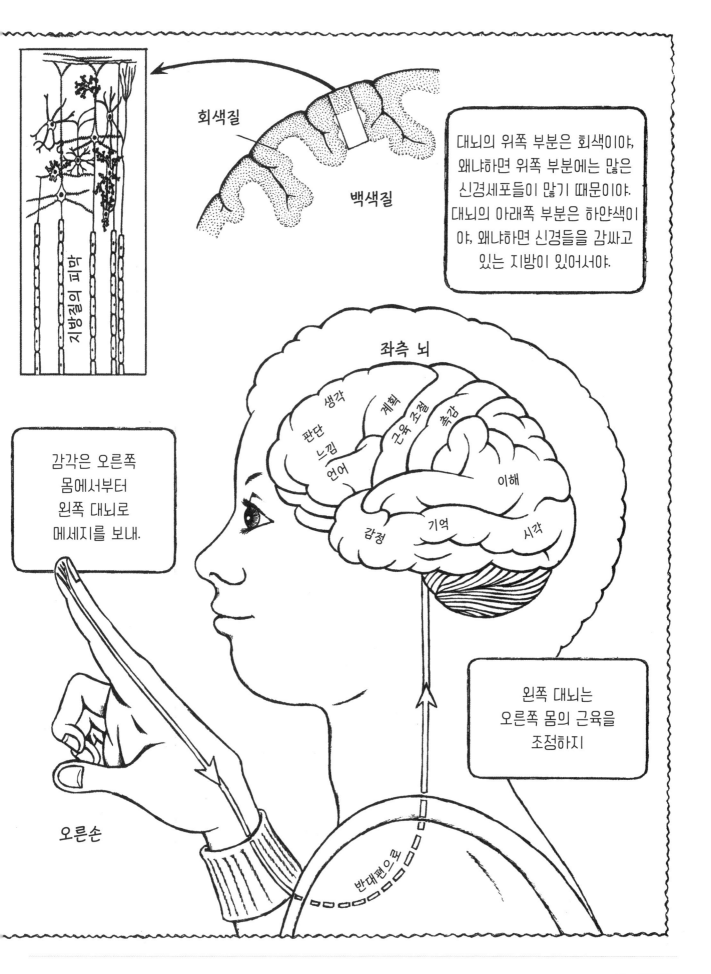

회색질

백색질

대뇌의 위쪽 부분은 회색이야, 왜냐하면 위쪽 부분에는 많은 신경세포들이 많기 때문이야. 대뇌의 아래쪽 부분은 하얀색이야, 왜냐하면 신경들을 감싸고 있는 지방이 있어서야.

지방이 혈관

좌측 뇌

생각
판단
느낌
언어
계획
근육 조절
촉감
이해
감정
기억
시각

감각은 오른쪽 몸에서부터 왼쪽 대뇌로 메세지를 보내.

오른손

왼쪽 대뇌는 오른쪽 몸의 근육을 조정하지

반대편으로

뇌량

이등분된 뇌

오른쪽 뇌   왼쪽 뇌

뇌량

뇌의 다리

다리처럼, 뇌량은 왼쪽 대뇌와
오른쪽 대뇌를 연결해.
이것은 뇌의 각각 부위가 서로 무엇을
하는지 알려주는
수많은 신경들로 구성되어 있어.

뇌량

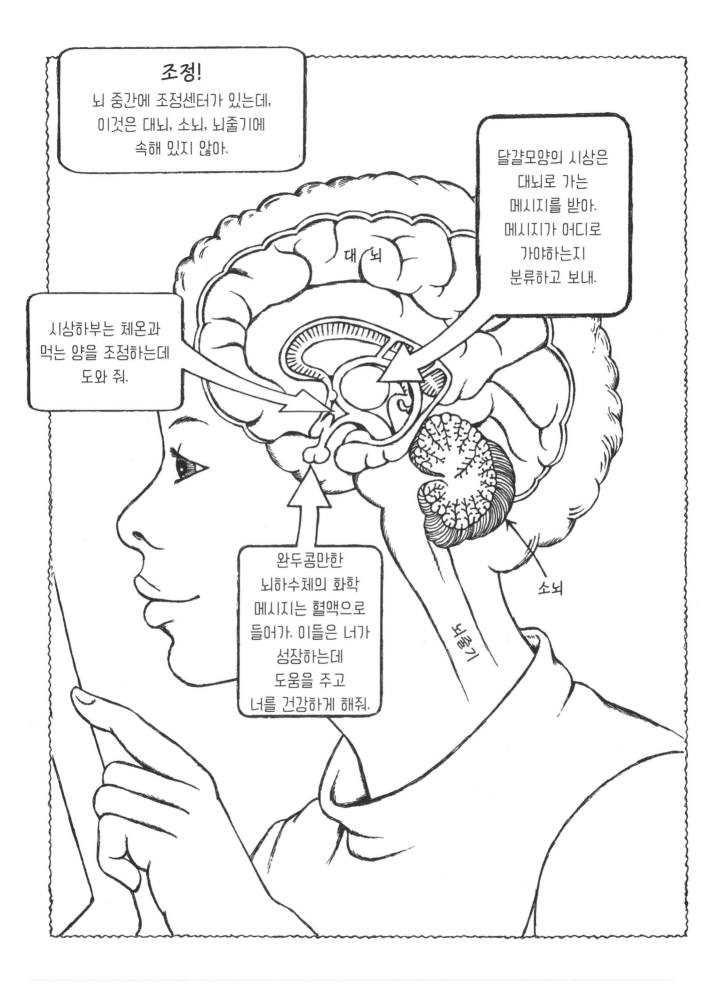

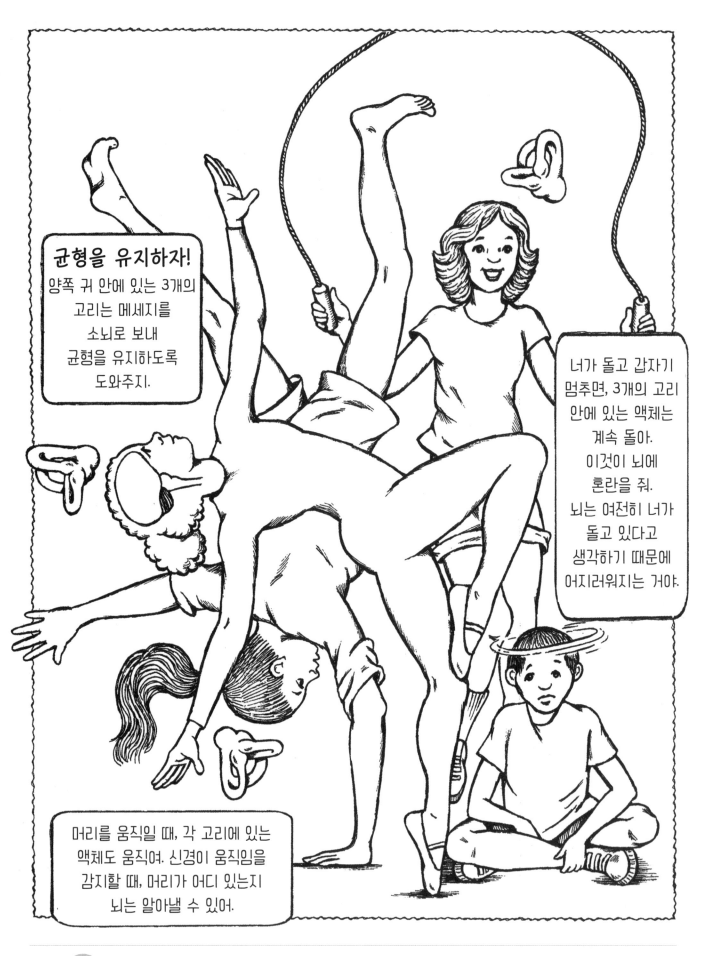

균형을 유지하자!
양쪽 귀 안에 있는 3개의
고리는 메세지를
소뇌로 보내
균형을 유지하도록
도와주지.

너가 돌고 갑자기
멈추면, 3개의 고리
안에 있는 액체는
계속 돌아.
이것이 뇌에
혼란을 줘.
뇌는 여전히 너가
돌고 있다고
생각하기 때문에
어지러워지는 거야.

머리를 움직일 때, 각 고리에 있는
액체도 움직여. 신경이 움직임을
감지할 때, 머리가 어디 있는지
뇌는 알아낼 수 있어.

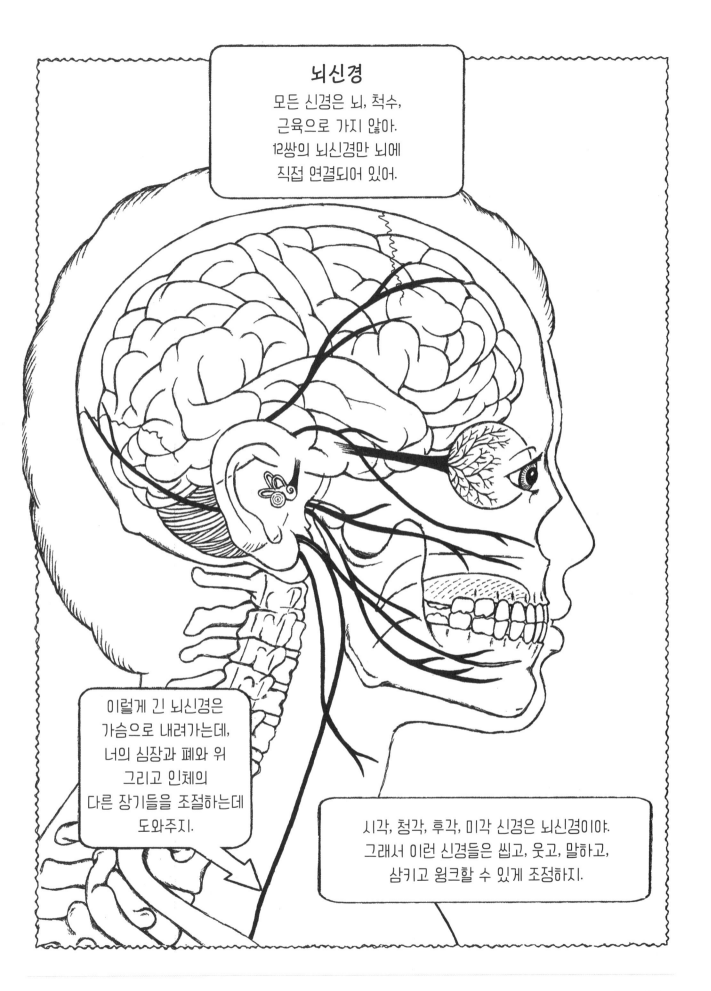

뇌신경
모든 신경은 뇌, 척수,
근육으로 가지 않아.
12쌍의 뇌신경만 뇌에
직접 연결되어 있어.

이렇게 긴 뇌신경은
가슴으로 내려가는데,
너의 심장과 폐와 위
그리고 인체의
다른 장기들을 조절하는데
도와주지.

시각, 청각, 후각, 미각 신경은 뇌신경이야.
그래서 이런 신경들은 씹고, 웃고, 말하고,
삼키고 윙크할 수 있게 조정하지.

생각할 필요 없어!
음식을 먹을 때 너는 먹는 것에 대한 생각으로 위를 조절할 필요가
없어. 심장, 폐, 눈이나 다른 대부분의 신체를 조정하는데
생각이 필요 없어.
뇌와 척수는 이들을 자동으로 조절해.

폐로 향하는 신경은
작은 양의 산소가
들어오도록 해.

심장으로 향하는
신경은 속도를
늦춰줘.

간으로 향하는 신경은
저장된 당을 혈액으로
방출하는 것을 막고
에너지가 필요할 때를
대비해 당을 저장해.

위

신경은 뇌와 척수 끝에서 나와. 이런 신경들은 네가 책을 읽는 것과 같은 정상적인 활동을
할 때 신체를 조절하는 것을 도와줄 수 있도록 각자 다른 신체 부위들로 가지.

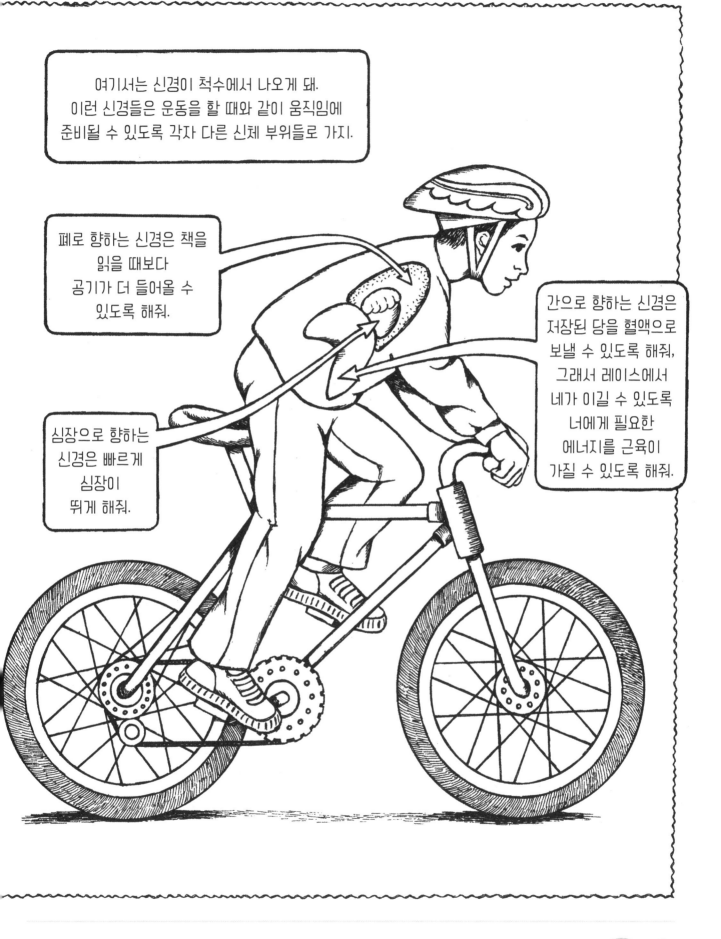

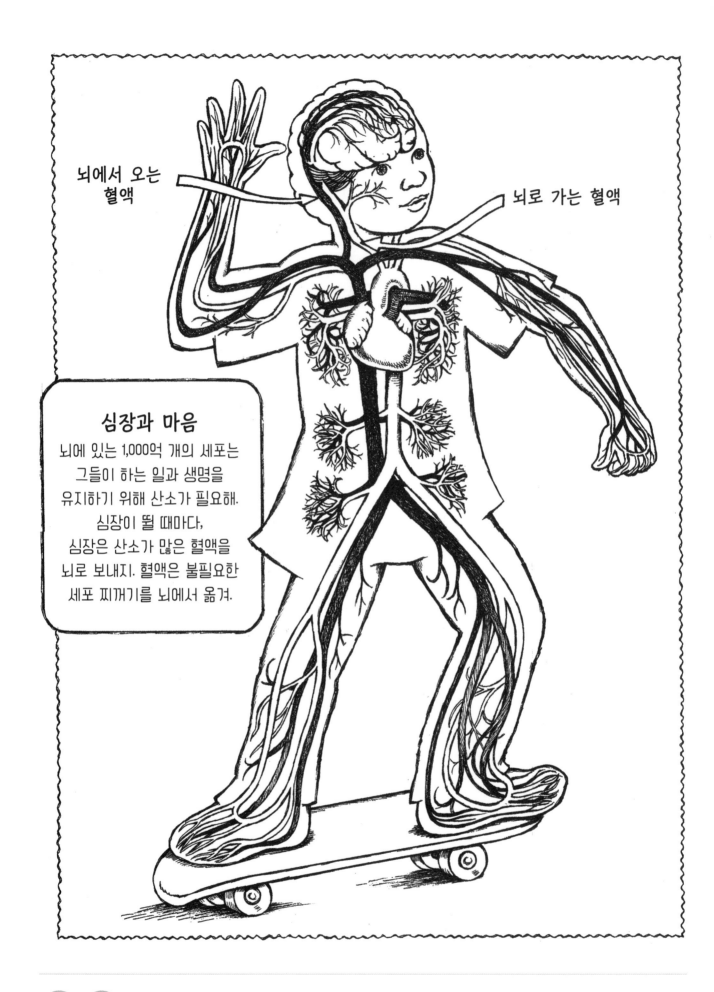

뇌에서 오는
혈액

뇌로 가는 혈액

심장과 마음
뇌에 있는 1,000억 개의 세포는
그들이 하는 일과 생명을
유지하기 위해 산소가 필요해.
심장이 뛸 때마다,
심장은 산소가 많은 혈액을
뇌로 보내지. 혈액은 불필요한
세포 찌꺼기를 뇌에서 옮겨.

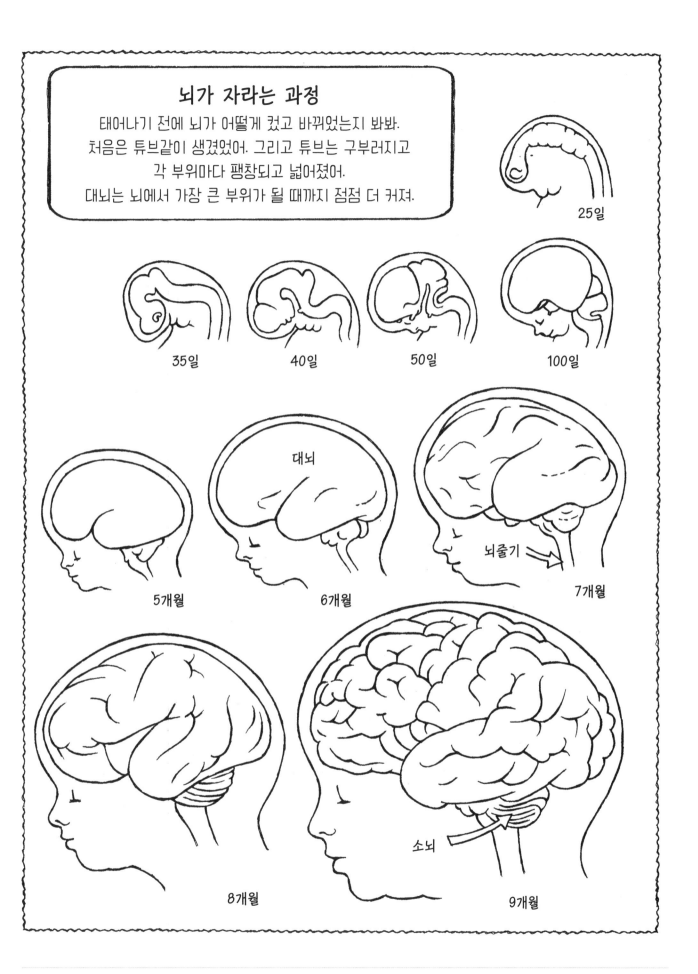

뇌가 자라는 과정

태어나기 전에 뇌가 어떻게 컸고 바뀌었는지 봐봐.
처음은 튜브같이 생겼었어. 그리고 튜브는 구부러지고
각 부위마다 팽창되고 넓어졌어.
대뇌는 뇌에서 가장 큰 부위가 될 때까지 점점 더 커져.

25일

35일

40일

50일

100일

대뇌

뇌줄기

5개월

6개월

7개월

소뇌

8개월

9개월

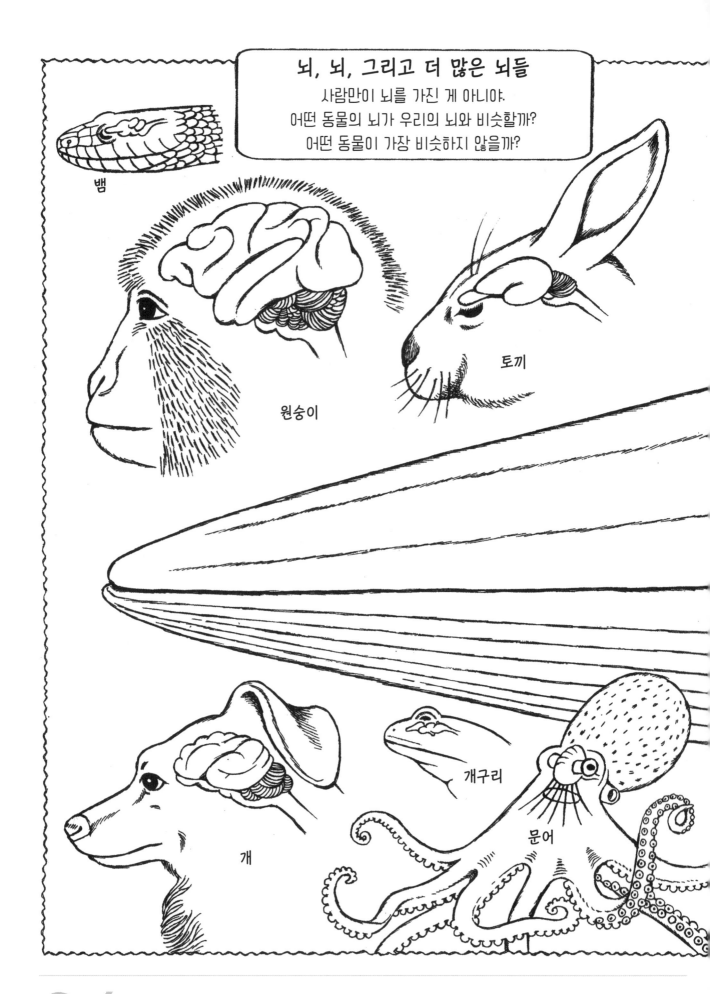

뇌, 뇌, 그리고 더 많은 뇌들

사람만이 뇌를 가진 게 아니야.
어떤 동물의 뇌가 우리의 뇌와 비슷할까?
어떤 동물이 가장 비슷하지 않을까?

뱀

원숭이

토끼

개

개구리

문어

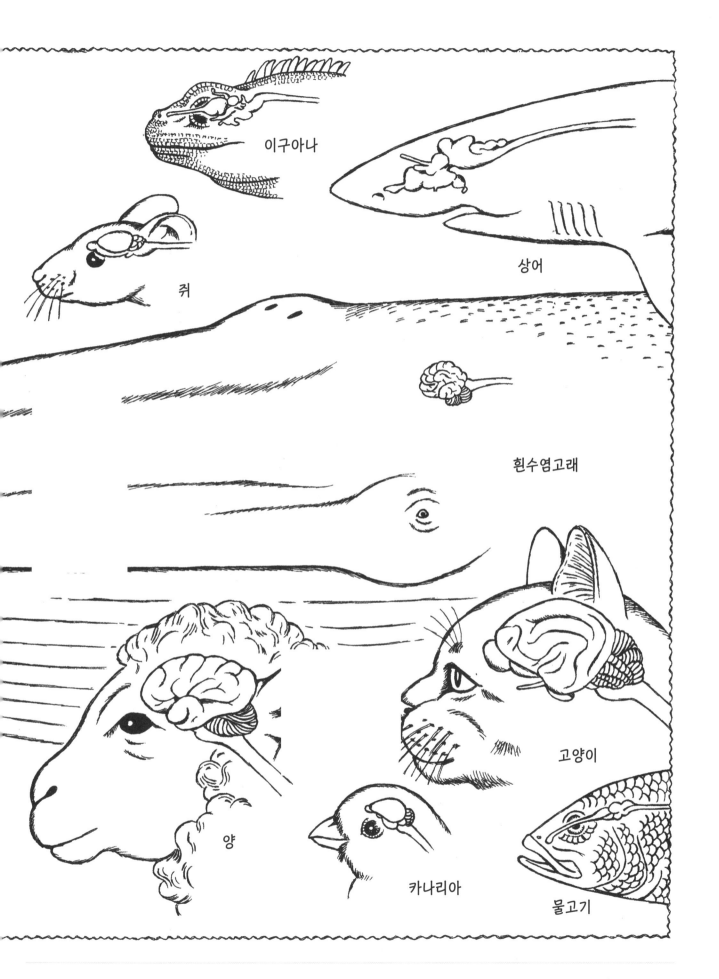

이구아나

쥐

상어

흰수염고래

양

카나리아

고양이

물고기

25

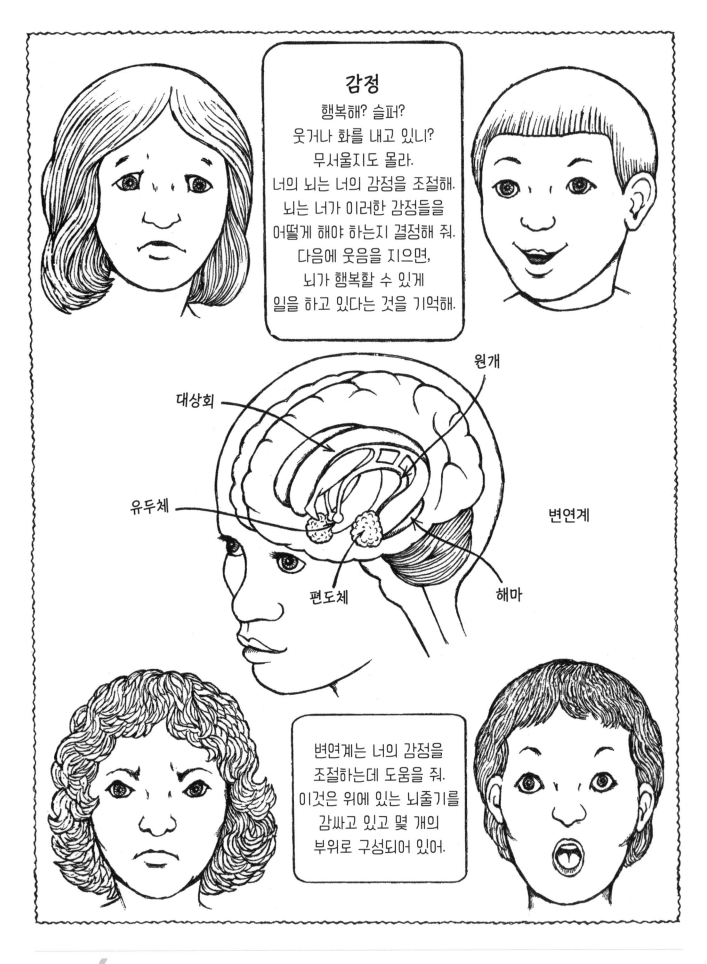

감정

행복해? 슬퍼?
웃거나 화를 내고 있니?
무서울지도 몰라.
너의 뇌는 너의 감정을 조절해.
뇌는 너가 이러한 감정들을
어떻게 해야 하는지 결정해 줘.
다음에 웃음을 지으면,
뇌가 행복할 수 있게
일을 하고 있다는 것을 기억해.

원개

대상회

유두체

변연계

편도체

해마

변연계는 너의 감정을
조절하는데 도움을 줘.
이것은 위에 있는 뇌줄기를
감싸고 있고 몇 개의
부위로 구성되어 있어.

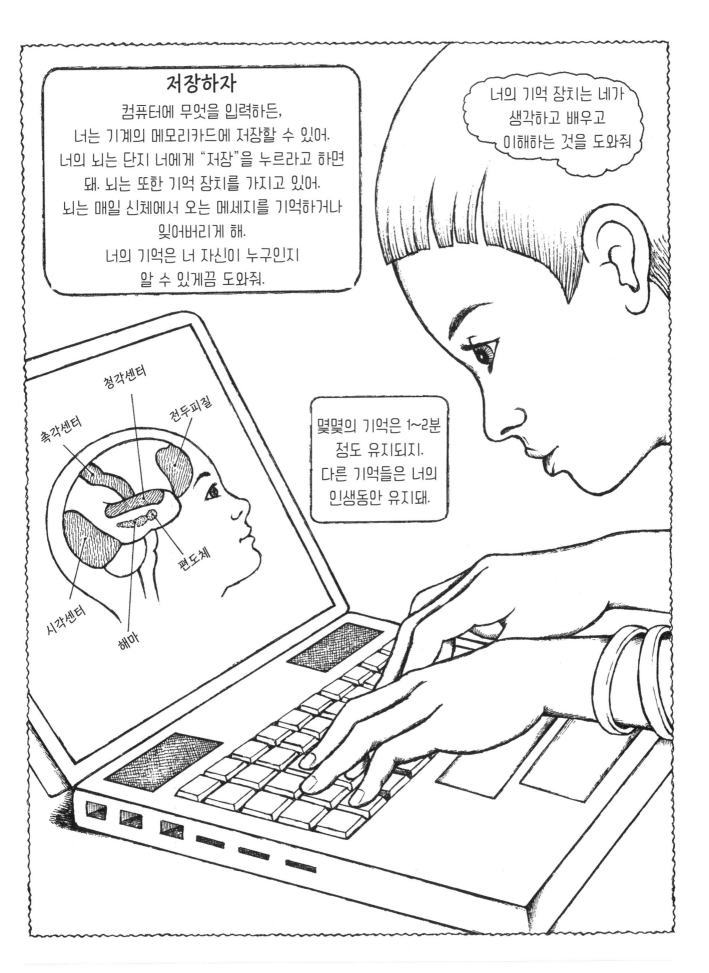

단어 속으로

누군가 너에게 말할 때 어떤 일이 벌어질까?
너는 어떻게 대답을 생각해낼까?
말할 수 있으려면
어느 뇌가 서로 같이 일하는지
순서대로 따라가 보자.

1. 귀는 들어서 청각센터로 메시지를 보내

2. 낱말이 어떤 의미인지 뇌는 생각해 내. 그리고 너의 답을 생각해내지.

3. 입에서 말이 나올 수 있도록 입의 움직임을 조절해

4. 기억은 말의 의미와 이들을 사용하는 규칙을 저장해

5. 너의 뇌는 입과 혀 그리고 목소리 근육들에게 메세지를 보내. 너는 뇌가 너에게 말하기를 원하는 말들을 말하게 되지.

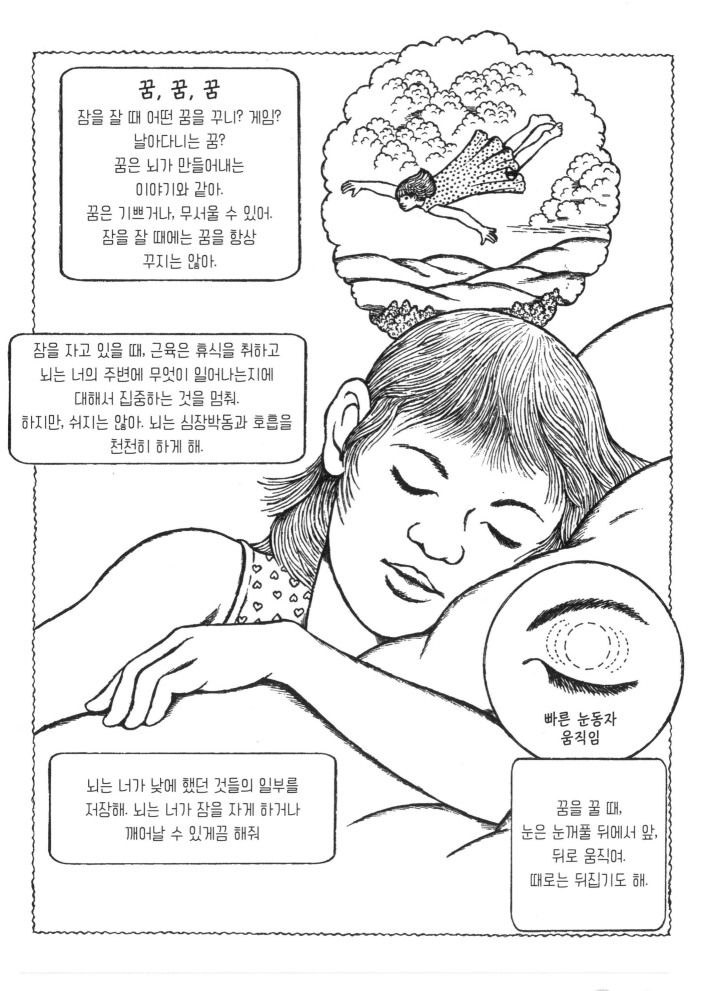

꿈, 꿈, 꿈

잠을 잘 때 어떤 꿈을 꾸니? 게임?
날아다니는 꿈?
꿈은 뇌가 만들어내는
이야기와 같아.
꿈은 기쁘거나, 무서울 수 있어.
잠을 잘 때에는 꿈을 항상
꾸지는 않아.

잠을 자고 있을 때, 근육은 휴식을 취하고
뇌는 너의 주변에 무엇이 일어나는지에
대해서 집중하는 것을 멈춰.
하지만, 쉬지는 않아. 뇌는 심장박동과 호흡을
천천히 하게 해.

빠른 눈동자
움직임

뇌는 너가 낮에 했던 것들의 일부를
저장해. 뇌는 너가 잠을 자게 하거나
깨어날 수 있게끔 해줘

꿈을 꿀 때,
눈은 눈꺼풀 뒤에서 앞,
뒤로 움직여.
때로는 뒤집기도 해.

똑딱똑딱

똑딱이며 시계는 움직여. 일어날 시간이야. 똑똑똑딱, 학교 갈 시간, 점심 시간,
놀이 시간, 저녁 시간, 잠자는 시간. 몸은 벽에 걸려있는 시계없이
무엇을 해야 할지 알아. 몸은 자기만의 시계가 있어서 저녁은 언제인지,
낮은 언제인지, 에너지가 많은 때는 언제이고 언제 피곤한지 알 수 있어.
몸의 시계는 시상하부에 있어.

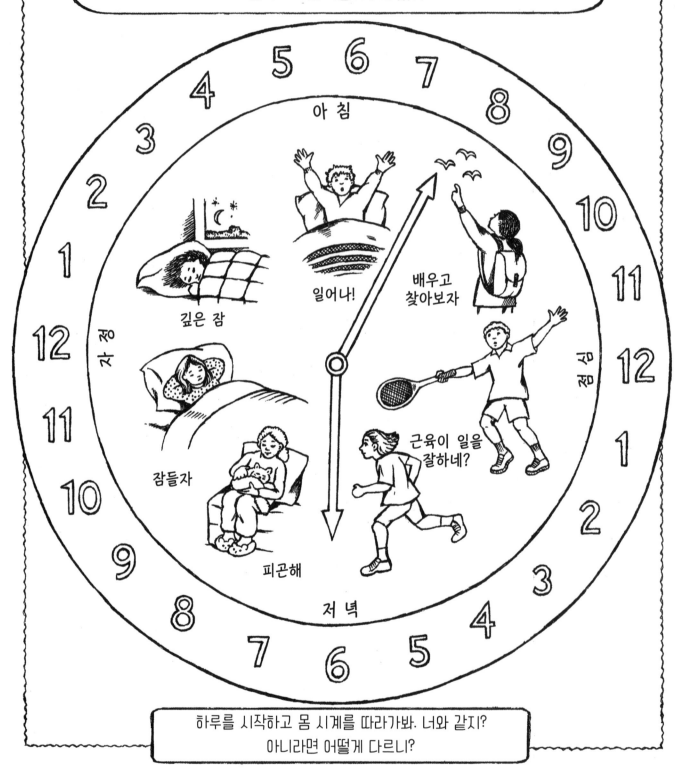

하루를 시작하고 몸 시계를 따라가봐. 너와 같지?
아니라면 어떻게 다르니?